光聴

岡田一実

素粒社

光聴　目次

句集　光聴

描線

疎に椿咲かせて暗き木なりけり

空に日の移るを怖れ石鹼玉

白梅の影這ふ月の山路かな

かんばせに雨のかかるも梅の花

啓蟄を時計の発条《ばね》のちからかな

樹に雨の重さ加はる春にして

涅槃図にけもののこゑやゑがかれて

日は雲を斑らに照らす竹の秋

鳴いてゐる亀の美声を疑はず

潮流の入りゆく川瀬春の鴨

雨の中賑はふ川よ菜の花よ

笑ふ山その中腹を咲かせつつ

光積む朝明の駅や蠅生る

野に伏して菫は頬に冷しと

茎立や日を追うて月高うなり

水の面の固く清和の浅瀬あり

牡丹の蕊灼然と枯れにけり

ハイターに色抜けにけり風呂の黴

額の花その真ん中の沸き咲きて

唾《つ》もて濡るる氷菓かなしも海を見る

六月の晴れて榻《たふ》の木老いゆけり

蟻はづすためや大きく腕《かひな》ふる

曠日や雨粒つのる蓮浮葉

紫陽花や日に面差のさだまり来

青空に翠薇は解けず花菖蒲

描線を略さず烏瓜の花

虹立ちて市をにぎはふ銭の音

海風や葵の揺れが地に届き

下京に見えて雨粒滑莧

化粧ひして夏みじかさよ男《を》の童

ひと雨の打つて青田のすぐ静か

プール出て顎より腿へひと雫

ゆふがたを日傘の影の落ちやまず

金魚田に空映る日の金魚かな

潮風の雨を含むや凌霄花

日焼せぬ膚《はだへ》や袖を剝きて見す

萍のまはりながらに流れけり

鶏のまへ鶏の影ある西日かな

夜光虫波引くときの一猛り

浅く跳ねけふ立秋の紙礫

桔梗の己《し》が花影を容れて咲く

花活けて秋蝶はべる展墓かな

送火の烟とものを炊く烟

新涼や檣を小叩く縄梯子

横抱きに人形処暑の風の中

照りやまぬ日輪うごき花臭木

鳥影の白露の陸を辷りけり

西鶴忌Bluetoothに歌を聴き

ゆふぞらに紺まさりたる野菊かな

さやけさの造花や蕊の略されて

月光や雲は奥処を見せ奔り

柿赤きことは別に墓の列

針金の花の如しよ菊花展

顔抜きて菊人形を仕舞ひけり

柚子は黄に雨の向うは日の差して

火の上の秋刀魚の眼沸きにけり

灯火に見えて夜雨と榠櫨の実

菊吸や茎に微塵のひかり入れ

昼過の日差さぶしゑ都鳥

縄跳の吾をはなれて吾の影

枝ぽきと折る山茶花の木なりけり

数へ日や重ねて玻璃の青く澄む

酢海鼠のほのくれなゐの肉の芯

解纜

初東風やものめづらしき貝の裏

書初の墨を遁るるみづの跡

鳰潜るときいきほひの少しかな

寒猿の鳴きては杉の影蒼し

狐火にけものの心や跳ねて飛ぶ

大洲市長浜

肱川あらしいま桟橋を押しつどふ

収骨は素手に骨割る雪催

誰彼の見る斎場の雪の空

青き炎《ほ》をつつむ赤き炎久女の忌

雑炊の卵蒸しつつ二三言

豆撒や紙の音せる鬼の面

鶯笛ひなたの味に鳴りにけり

梅まつり手前の梅をひとしきり

梅に東風うどんに軽き器かな

渦潮のうづ巻く前の盛り上がり

ものの芽や空かたぶくと風あふれ

あかがねの葉先すくりと蘖ゆる

兄妹手つなぐ花の草苺

夕《ゆふ》光《かげ》の風に粒なす苜蓿
チューリップ黒き花粉を底に溜め
ものの芽といふには少し長かりき

羽虫あまたたかる花あり泰山木

萍をおし分け泡の浮き出づる

雨は灯に乱れて夏の欅かな

翠黛の蟭《せう》螟《めい》にして情こまやか

涼しきよエアータオルの中の灯も

水流を逃しながらに蛇泳ぐ

伸べし頸の右へ左へ燕の子

噴水の白き色得し水の粒

そのにほひ蚊遣の灰の白きうづ

河骨の揺れゐる花の中の蜂

駆けて来る夏の帽子を手づかみに

鮒に似てしかししつかり金魚かな

蟻五匹ゐる金柑の花の中

流れくる浮輪に子ども挿してあり

沢音のごと蟬のこゑ湧き揃ふ

勢ひのよき一瀑の丈短か

夏痩や文字を解して手紙読む

裸身を装して顔は常はだか

みづこぼれ落つ本流の滝の脇
ゆふがたの日へ傾けて日傘さす
照りまさりたり夕方の雲の峰

あをく暮れゆく夕焼のすぢ残し
その盛り過ぎ夕焼の広ごりぬ
先ほどの茄子とは違ふ空の紺

幻聴譚　六句

闇を瞠るや冷房の幻聴に

頭《づ》をこゑのかよふや夜半の冷蔵庫

こゑ高く低く夏野の頭をわたる

向日葵の頭垂れし形《なり》をこゑに聴く

あをうすき天たうきびの花もこゑ

水無月や脳《なづき》をこゑの絶え間なく

風鈴や雨粒あまた地を弾き

蒲の穂の立つや蓮を後景に

大き蜘蛛脚もて蝶をまはし食ふ

花火見し人一方へ吸はれゆく

掃苔や濱に火を焚く音の中

鶺鴒の浅瀬を歩く脚うごく

秋や澄む川の濁れる川へ入る

実をつけし屁糞葛や萓を巻く

みづ深きところ翠に澄みにけり

曼珠沙華を梳き他の曼珠沙華咲けり

猫じやらし風に根元の濃《こ》くれなゐ

ゆふがたの雲鈍色に月を待つ

魚棚を無月真水に洗ひをり

世の雨の縦にすぢなす雨月かな

くらがりに雨月の文を点し読む

水引や泥鰌は己が泥煙

蓮の実の下もじやもじやに蓮の蕊

咲きみちてのち金木犀うすむ

人と舟秋解纜にひとつ影

来て沢の蟋蟀の他見ずにゐよ

秋すでに指を舐めあふ兄妹

零《れい》浮かぶ西の霧雨既視の意思
まづこゑに次に鶲に意識向く
走り根を階《きざはし》として茸山

秋の滝二すぢ同じ滝壺へ

黄落を左へ進む電車の椅子

黄落に赤子を載せて撮つてゐる

すぐに飛ぶ綿虫を手に歩かせて

影よりも丈の短き冬の菊

返り花川は巌の段に急

東京行　六句

機窓より海と平たき雪の富士

夜の雲を照らす東京神の留守

吊革の引けば傾く日短

羽田列なす保安検査にコート脱ぐ

機内誌に離陸待つ間を日向ぼこ

日に霞む島ごと山の眠りけり

靴が足をそれぞれ包む忘年会

極月の灯を粒に受く柘榴の実

吾を見て縄跳のまま横へ逸《そ》る

冬雲うごく明るきところ変へながら

剝き捨つる数の子の皮白にごり

話しあふ忘年会を思ひ出し

こゑ

読初や♨にゆじるしとルビ

若水に石の蛙は濡れずあり

句を残すため中断の姫始

熱くなる三つ葉の茎や雑煮椀

可笑しいと思ふそれから初笑

前傾に揺れてひたすら初笑

初かがみ吾のうしろの白い壁

白粥炊くあひに七種切る微塵に

初旅や脚を交互に前に出し

息をつく初金毘羅にのぼりつつ

門松の松細し竹猛々し

松明のあと一月の依然と有る

門灯に貌あらはれし雪達磨

滾る閾超え千切らるが波の花

昼よりの雪を灯の中に見る

寒鴉まづ足に跳ね羽に飛ぶ

タレ甘すぎて白魚のあぢ不明

熊蜂の花摑み花揺らし吸ふ

梅まつり幟の裏の鏡文字

どの梅の木もひんがしへ影を置く

こゑの目白すがたの目白梅に来る

密に糞ありし鳥の巣とわかりけり

春の風邪まなこのミモザ殊に黄に

はくれんを夢のごとくに穢のおよぶ

五人囃子のそれぞれの口の形

ほほゑみのいまは動かず雛人形

雛の客去り雪洞の灯消す

囀りの影といふ影天《あ》降《も》りくる

涅槃図や釈迦の昔に恋ごころ

子のこゑの宙をつたはる土筆かな

ゆさはりや真夜を鋭《と》く鶏のこゑ

幾風に廓や今し春の風

顔うづめ蒲公英を虻歩きけり

丼に箸の影落ち蓮如の忌

共泳ぐ柳鮠二尾ふたつ影

虎杖の根に近きほど酢と覚ゆ

藤棚の先づは垂れずに藤咲き初む

Virusに花のかざなし三鬼の忌

VirusとVenus三鬼死にし日の

挟み抱くからだの背子と朝寝かな

ヒヤシンスその根巻かれて売られあり

音の来て雨鮮《あたら》しや花薊

彷徨の因に花とふΦΆΡΜΑΚΟΝ《pharmakon》

視野に入る蝶の視野そはΘΑΥΜΆΖΕΙΝ《thaumazein》

長閑さも巌に影曳く巨き禽

ワイパーに雨は平たく桜餅

行春や鼻の隆起も背子が貌

花過の空気の見えてありにけり

出てみれば意外の長閑かつ暖か

桐咲《疫禍》いて葉ごしの月も影疾《と》かれ

腹黄なるを見て翡翠を見失ふ

新緑や声にこゑ継ぐ鵤鶲

四十雀飛び忽ちに木の洞へ

徒《かち》渉《わた》る浅瀬つめたき裸足かな

鳥ごゑのなか明らかに初河鹿

初夏の浅瀬は左右《さう》に波広ごり

触角で葉に触れ蟻の歩み止む

繡線菊の灯を消し影の消えにけり

疎に遊ぶ卯月の海に脛《はぎ》濡らし

新緑に滝音に日の差し来たる

舌《ぜつ》まはる風鈴揺れて鳴らずあり

常闇の脳を離るるこゑ涼し

小判草七つの節に一つ粒

瀬面の空の白きに螢待つ

玉葱の一顆しづかに床を押す

半袖を長袖に替へ袖を折る

雨後そのまま明るくならずソーダ水

雨中梔子朽ちつつ宙に香を広ぐ

浮いてこい其の面《も》に湯滴繁《しじ》に落つ

水馬の水輪の芯を捨て進む

片膝をみぎにひだりに蚊の薬

梅雨すでに紫陽花は張り減らしつつ

かたつむり雲ぎりぎりに雨俅へ

願はくは避暑が旅寝の高枕

クーラーを消し次の間のクーラーを

裸寝の俯せに頭は横向きに
裸寝をキスに起こせばキスを返す
裸寝の醒めデバイスに顔灯す

蝶うごかず令法の花に吻を当て

草刈の歩むに障るところのみ

藤万緑日を洩らしつつ日を断ちつつ

あかつきのはや暑や雲の帯が照り
囓りゐる胡瓜を鳴らし歯を鳴らし
冷蔵庫而して自動製氷器

待たせおく間に青柿を見しといふ

蟭螟の羽ばたきに空《くう》うごきけり

蟭螟の眼に意思の光さす

その暮らしあり蟭螟に箸づかひ

蟭螟やざつと雲来てざつと雨

蟭螟の子にジエンダーの兆しあり

一睫毛空け蟭螟の座をつくる
思ひ精しく蟭螟は日記書く
蟭螟の眠るも蚊ふせる深睫毛

毛虫涼し葉表に色あざやかに

夏蝶の羽ばたき見るも眼鏡越し

蜘蛛の巣の芯出来つぎに巣の概略

距離つくる日傘の裡に会釈して

手指消毒を涼しとするは一寸嫌

書を写す胡瓜のあぢを口中に

目醒め即耳醒め脳を蟬のこゑ
きはまつてより蟬声の急ぐなり
湧きては止みて蟬声を輪と思ふ

きのふより晴れてゐて梅雨明は今日
音で応へてクーラーの点きにけり
昼寝せんとて醒めながらしばし臥す

椅子の端に日傘斜めに凭れ立つ

麦茶飲むとき不規則に舌の筋《きん》

汗染むる衣脱ぎにくし脱ぎ涼し

飛ばずゐる髪切虫も微雨の中

銀梅草其と知つてより頻りに見

朝の或る境より蟬鳴き始む

水着著て水着素材の上着著る

髪洗ふ指の弾力頭の弾力

塗箸のまづは菜に濡れ夏料理

栞紐折れ本棚の夜の秋
咲き初めの向日葵の芯うすみどり
身丈より眼の位置低しアッパッパ

人影の短く侍り蟻地獄

風通しよさげに裂目蟬の殻

蜘蛛の囲を撮る其を払ひ他を撮る

仮初に涼しと詠みて徐々に情

繫がつてゆく人影と片蔭と

クーラーを消してまだ暑の戻らぬ間

御三戸　六句

蟬声の波だつ昼の川遊

吾がキャンプ他家のキャンプと関はらず

鮴八尾獲らば食はんと鍋叩く

鮴暴る泡と沸き立つ鍋の中
水着脱ぐ車を盾に身を隠し
興湧かぬまま大蟻の歩を眺む

蚊の痒み消えてゐること昼にふと
音立ててクーラーは風放ちをり
なほ暑しされど夕涼みの心

麦茶沸かす傍に冷たき麦茶飲む

夏帽の内なる眉のあはあはと

別に本読むクーラーを別に点け

暑和らぐ刻選び向日葵を見に

向日葵の芯つぶだちて盛り上がる

向日葵の中にみつしり小さき花

向日葵の芯に輪をなす波濤あり
広々と裏見えてゐる向日葵も
撮りをればその向日葵を呉るるといふ

向日葵に適ふ派手めの花瓶出す

うの文字を鰻泳ぐに似せて売る

一ト時の間を片蔭のひた伸び来

徐に雲に夕焼はじまりぬ

夕焼の空の帯はた雲の帯

冷酒やあはあは昨《き》日《ぞ》の水平線

白猪　六句

光《かげ》を引く宙の万緑地の万緑

翅ぶるぶると滝音に夏の蝶

巌打ちつけ一つ滝筋を割る

滝壺の上《へ》を滝飛沫《しぶき》はしりけり

顔弾く滝の風なる水の粒

滝音と込み滝道を歩く音

背子の背に胸乳つけたり共昼寝

穀象の長き部分を口と知る

川風は川より広く岩煙草

仙人草瀬面ことに日の珊珊

影落とさず天わたる黒揚羽

紐きつく結ひやる背子が夏帽子

「我妹子が結ひてし紐を解かめやも絶えは絶ゆとも直に逢ふまでに」（笠金村）と応へよ

皮剝いて肉白妙のバナナかな

指濡るることなくバナナ食ひにけり

実芭蕉と呼べばバナナに寸の寂び

三つ筋に剝き一繋のバナナの皮

高のぼる火輪翳して白団扇

しばらくを西日深差す日除なか

頤《おとがひ》に雫太らせ桃を食ふ

裡は濡れ表は乾く桃の皮

がたがたの花びらを以て酔芙蓉

霊魂に信うすし盆菓子は欲し

谷訝なせる無数の法師蟬

盂蘭盆や色をたがへて星隣る

眼は空《くう》を向き蜩に耳凝らす

家ぢゅうを麦茶沸く香や魂祭

音たてて盆提灯のスヰッチを

苧殻挿さねば座するかたちの茄子の牛

八月十六日五山送り火縮小

六点に略して大文字とわかる

瀬音より昼の兆せる葛の花

床に置く西瓜の影を平面に
手を動かしみる阿波踊り思ひ出し
ときしもあれ蜻蛉と空と離《さか》るべき

底紅の白き処のすぢを透く

花葛に鼻寄す背子をうつしゐに

稠密に近況ありて残暑見舞

花びらの垂れ向日葵も処暑の景

どう枯るるか見たく向日葵枯るるを瓶

向日葵の枯るるや其の頭小さくして

黄を煮詰むるやうに向日葵枯れすすむ

向日葵枯るる香の菊枕めきてきし

向日葵の枯れて白き毛しかと見ゆ

向日葵の花弁零れず枯れ尽くす

Joseph Maurice Ravel "Jeux d'eau"
粒に澄み粒にたばしる秋の水

比奈夫逝きゆふべ濃くあり底紅忌

照り降りのその早雲も盆の月

花片を巻いて木槿の閉ぢてゐる

幻聴とふ癇疾と別に秋の声

裏の地味表の派手や桐一葉

桐一葉うらがへらずに塵取へ

銀河濃し酔の咫《し》尺《せき》に死を覚え

うへのはうより粒取つて巨峰食ふ

秋の瀬の底の波影細《さい》に切れ

土しろく乾く堀串《ふくし》や夕化粧

野葡萄の分かれフェンスの内と外
秋茄子の蒸してむらさき色のつゆ
逆しまに蟷螂の殻垂れて透く

曇日を濁と色為す杜鵑草

早雲や白露の地《つち》を足の裏

谷ふかく午《ひる》の日わたる秋の百合

秋あかね竹の籬を蹴って発つ

熊ん蜂釣船草に頭を深く

蜻蛉つかふ空そのうへの空高し

秋夕焼まづ広やかにささ濁り

その疣に指おし添へてゴーヤ切る

膳の酒の酔の尾ほのと梨を食む

秋晴の小雨と変はり降り増せり

八朔や飛行機と浮く灯の明滅

野分晴下り来る鳥の羽張つて

錆に苔濃き歩道橋秋の風

こほろぎのこゑ閃閃と響みけり

星澄んで天高きとは夜の天も

ゑのころの翠も金も一叢に

ゑのころの風過ぎゆけば揺れ戻り

秋風に花あらあらと百日紅

剝き売りの甘栗ぽくと子規忌かな

コスモスの花間を雨の過りけり

鰯雲ラヂオのこゑは意味明《あか》く

秋茄子の洗ひし方は別の笊

焼いて身をはづし太刀魚長き骨

拇《おやゆび》をうづめポポーを剥きにけり

縦に立つつぼみ赫赫曼珠沙華

コスモスの影朦と落ち揺れてゐず

花びらにぱつと日の乗る杜鵑草

名月や物干竿の影二本

外《と》に小さき灯を据ゑ月見酒の卓

名月を見る刻々に椅子移し

サイレンの良夜しふねく救急車
気を抜くといさよふ月の雲より出
雲去つていさよふ月の華やがず

立待の秋の朧といふべしや
顎上げて刻とのぼれる立待を
月映えを逃しながらに雲去りつ

薬眠の切れて白磁のごと寝待

幻聴のこゑより近く虫のこゑ

薄明をこゑ鬱勃と小鳥来る

草露は粒と暾《とん》入れ粒無量

朝月と色を分かたず鰯雲

花すすき順流の昼を片送り

柄うごかして岩肌を穴惑

秋風を鳴らして巌の縄梯子

笊に湯を切る枝豆の立体感

金柑の雨に冷えしがたなごころ
蟋蟀の中なる一つ長鳴きに
楢の葉を楢の実を揉む峡の風

晴れながら夜気重くある酢橘かな

酢橘切るまへ包丁をさつと研ぐ

無花果や奥歯合はせば種こりと

頭より高く手を挙げ零余子とる

零余子とる苧麻《からむし》の実をおし避けて

雨音をときに遠雷零余子飯

曇天に透く日輪や榠樝の実

色鳥のこゑをむらさき色と見し

破芭蕉すぢが筋打つ音すなり

林檎食ふ上下に歯をうち開き

行く秋の余所の家族と昇降機

鶏頭に日差しの塊《くわい》と募りをり

読んでゐる字の脳に鳴る榠樝の実

いてふあをば銀杏黄葉とうち鬩ぐ

浴槽の裸眼に秋の蚊を見上ぐ

鱗雲流るうろこの形のまま
渋皮に残る栗の実淡黄色
栗飯や食卓のほか灯を滅し

酔へる身が名残の月を視野に置く

哲学の理の落語めく後の月

頓《とみ》に暈ひろごる月の名残かな

神域の果てて畑あり鵙の晴

黄葉や布の巻きある狛狐

色違ふ槇の実のそれぞれのあぢ

蔓引きつ雨を落しつ藤の実採る

珊瑚樹や厚雲割れて日の珊珊

秋雨や脚立凭るる御神木

松の葉を五百《いほ》の雨粒山粧ふ

鵯の山雨をこゑに私す

傘立に売れる竹刀や七竈

肌寒や高飛ぶ鳩の羽の音

秋雲の鱗になつてゐぬ部分

夜業果て茶漬が仄と胃を熱す

小田深山　六句

急峻に手を付きのぼる紅葉かな

騒ぎゐる白膠木《ぬるで》もみぢの黄だ黄よと

こゑ遊ぶ三世が渓の紅葉かな

蒟蒻の紅葉を四方に煮え沸けり

星《ほし》光《かげ》の濃くひたすらに紅葉澄む

一切のせせらぎが夜や冷まじく

句集　光聴　畢

あとがき

本作は第四句集です。

前作『記憶における沼とその他の在処』上梓以降、現場の理想化前の僅かな驚きを書き留めること、些末を恐れず分明判断を超えてものを見ること、形而下の経験的認識が普遍性に近づくその瞬間を捉えること、イメージを具象的言語表現で伝えることなどは山険しけれど古い方法ではなく、現代の俳句を切り開く方法の一つになり得ると思うようになりました。

「描線」は二〇一八年、「解纜」は二〇一九年、「こゑ」は二〇二〇年作です。この間、新型コロナウイルスが世界中に蔓延し、自分がどう向かい合うべきかを考える日々でした。加えて、持病の幻聴がもたらす生きることの困難さと闘う日々でした。古今の俳句などに親しむことによって自分の俳句観が大きく変わっていくのを実感した時期でもありました。前作までは採らなかった編年体を、若干の構成も入れつつ、今作で採ったのは、この疫禍を挟み俳句をどう書いたのかの「私《わたくし》」の標が要るように思ったからです。「記録」ではなく「書くことを書く」という俳句を記せていたら幸いです。

今作に関わってくださった全ての人々に心から感謝します。

選句には若林哲哉さん、帯文・総合的ご意見は岸本尚毅さん、装丁には北野亜弓さん、出版には素粒社の北野太一さんのご尽力を賜りました。記して深甚の謝意を申し上げます。

最後に、俳句・人生両面で支えになってくれたパートナー、俳号マイマイこと岡田昌明へも感謝の意を記します。

二〇二一年一月二十四日

岡田一実

岡田一実（おかだ　かずみ）

１９７６年　富山市生まれ
２０１０年　第３回芝不器男俳句新人賞にて城戸朱理奨励賞受賞
２０１４年　第32回現代俳句新人賞受賞
２０１５年　「らん」同人
２０１９年　句集『記憶における沼とその他の在処』にて第11回小野市詩歌文学賞受賞

現代俳句協会会員　愛媛県松山市在住

句集
『境界－border－』（マルコボ．コム、２０１４年）
『新装丁版　小鳥』（マルコボ．コム、２０１５年）
『記憶における沼とその他の在処』（青磁社、２０１８年）

carminic13@gmail.com

光聴《こうちょう》

2021年3月25日　初版第1刷発行
2021年4月10日　初版第2刷発行

著者　岡田一実《おかだかずみ》

発行者　北野太一

発行所　合同会社素粒社
〒184-0002
東京都小金井市梶野町1-2-36　KO-TO R-04
電話：0422-77-4020　FAX：042-633-0979
http://soryusha.co.jp/
info@soryusha.co.jp

装丁　北野亜弓（calamar）

印刷・製本　創栄図書印刷株式会社

ISBN978-4-910413-02-0　C0092